SO-AVU-269

HENRY FORD

INVENTORES FAMOSOS

Ann Gaines

Traducido por Eida de la Vega

Rourke Publishing LLC
Vero Beach, Florida 32964

www.rourkepublishing.com

DERECHOS DE LAS FOTOGRAFÍAS
©Fotografías de archivo. El instituto de cultura texana de la Universidad de Texas, Departmento de Transporte de Texas

SERVICIOS EDITORIALES
Pamela Schroeder

Catalogado en la Biblioteca del Congreso bajo:

Gaines, Ann
    [Henry Ford. Spanish]
    Henry Ford / Ann Gaines ;traducido por Eida de la Vega.
      p. cm. — (Inventores famosos)
    Includes bibliographical references and index.
    Summary: A biography of the engineer and industrialist whose innovative methods enabled his company to build and mass-produce reliable and inexpensive automobiles.
    ISBN 1-58952-175-7
    1. Ford, Henry, 1863-1947—Juvenile literature. 2. Automobile industry and trade—United States—Biography—Juvenile literature. 3. Industrialists—United States—Biography—Juvenile literature. 4. Automobile engineers—United States—Biography—Juvenile literature. [1. Ford, Henry, 1863-1947. 2. Industrialists. 3. Automobile industry and trade—Biography. 4. Spanish language materials. I. Title.

TL140.F6 G3518 2001
338.7'6292'092—dc21
[B]   2001041682

Impreso en EE. UU. — Printed in the U.S.A.

CONTENIDO

HENRY FORD Y SUS IMPORTANTES IDEAS

Henry Ford fue un inventor. Sus ideas cambiaron los autos y las fábricas. Antes de 1908, los autos costaban mucho dinero. Sólo los ricos podían comprarlos.

Henry Ford encontró un modo de fabricar autos rápidamente. En 1908, la Compañía Ford de Motores fabricó un auto llamado Modelo T. Puesto que se tardaba menos tiempo en fabricarlo, el Modelo T era más barato que otros autos.

HENRY FORD CRECE

Henry Ford nació el 30 de julio de 1863. Creció en la finca de sus padres en el condado de Wayne, Michigan. A Henry le encantaba trabajar con las máquinas de la granja. Era muy hábil arreglando cosas e incluso podía reparar relojes.

Cuando tenía 13 años, Henry vio una máquina que cortaba la madera. Un **motor de vapor** hacía funcionar la máquina. ¡Henry Ford estaba asombrado! Quería construir ese tipo de máquina también.

El motor de vapor inspiró a Ford a construir su auto.

HENRY FORD COMIENZA A TRABAJAR EN DETROIT

Cuando cumplió 16 años, Henry se mudó a Detroit. En los años siguientes, trabajó en talleres que hacían piezas para máquinas. En sus ratos libres construía **motores de gasolina**.

También conoció a su esposa. Se casó con Clara Jane Bryant el 11 de abril de 1888. En 1893 tuvieron un hijo, al que llamaron Edsel.

En 1891, Henry comenzó a trabajar para la Compañía de Alumbrado de Thomas Edison. Llegó a ser ingeniero jefe en la planta de energía.

Henry Ford trabajó para el famoso inventor Thomas Edison.

LA CONSTRUCCIÓN DE AUTOS

En casa, Henry trabajaba en la construcción de un auto. En 1896, hizo un auto con motor de gasolina. Lo llamó cuadriciclo porque tenía llantas de bicicleta.

En 1903, Henry abrió la Compañía Ford de Motores. Sus autos funcionaban muy bien. Mucha gente los quería. Sin embargo, se tardaba mucho en construir un auto. Henry trató de pensar en un método más rápido.

Esta ilustración muestra a Henry Ford sentado en el primer auto que construyó.

LA CADENA DE MONTAJE DEL MODELO T

En 1908, Henry Ford encontró la respuesta. Cambió el método de construir los autos. La mayoría de los autos eran armados por un equipo de obreros que colocaban todas las piezas al auto. La **cadena de montaje** del Modelo T, diseñada por Ford, era diferente. Utilizaba muchos equipos. Cada equipo hacía el mismo trabajo una y otra vez.

*Obreros construyendo autos
en la cadena de montaje*

La carrocería del Modelo T se colocaba al inicio de la cadena de montaje. Un equipo de obreros colocaba las ruedas a la carrocería. La carrocería y las ruedas se trasladaban a otro equipo que le ponía el motor, y así hasta el final de la cadena. No costaba tanto hacer un auto Modelo T. La compañía de Ford podía venderlos a bajos precios.

Debido al bajo precio del Modelo T, muchas familias pudieron comprarlo.

EL AUTO MÁS VENDIDO DE ESTADOS UNIDOS

Gracias a la cadena de montaje, mucha gente pudo comprar el Modelo T. Pronto se vendieron miles de autos. El Modelo T fue el auto más vendido hasta 1927.

El Modelo T significó un cambio para Estados Unidos. La gente ya no montaba a caballo para viajar. Todo el mundo conducía. Se pavimentaron los viejos caminos y se construyeron otros nuevos. Viajar resultaba mucho más fácil.

El Modelo T facilitó los viajes.

EL INVENTOR Y SUS DOS INVENTOS
MÁS IMPORTANTES

Henry Ford trabajó en autos y otras ideas hasta que murió en 1947. Hoy en día, su compañía es una de las principales constructoras de autos. Hace más de 75 años, la gente decía que el Modelo T duraba mucho tiempo. Tenían razón. Todavía se pueden ver en la carretera algunos Modelos T junto a los nuevos autos.

Henry Ford y su hijo Edsel junto a un auto Ford

La cadena de montaje de Henry se utiliza para hacer muchas cosas. No sólo autos, sino también lavadoras, televisores, juguetes y hasta dulces se fabrican en las cadenas de montaje. Hoy en día, se puede aprender más sobre Ford en la **Institución Smithsonian**, en Washington, D.C. y en el Museo Henry Ford en Dearborn, Michigan.

FECHAS IMPORTANTES PARA RECORDAR

1863	Nació en el condado de Wayne, Michigan (30 de julio)
1888	Se casó con Clara Jane Bryant
1891	Empezó a trabajar en la Compañía de Alumbrado de Thomas Edison
1896	Construyó el cuadriciclo
1903	Inauguró la Compañía Ford de Motores
1908	Se vendió el primer Ford Modelo T
1918	La mitad de los autos de Estados Unidos eran Ford Modelo T
1947	Murió en Dearborn, Michigan (7 de abril)

GLOSARIO

cadena de montaje — ruta en una fábrica a lo largo de la cual se arma un objeto

Institución Smithsonian — un famoso museo de ciencia y tecnología que existe en Washington, D. C.

motor de gasolina — motor impulsado con gasolina, un líquido incoloro fabricado a partir del aceite

motor de vapor — motor impulsado por el vapor proveniente del agua hirviendo

ÍNDICE

Lecturas recomendadas

Coffey, Frank, and Joseph Layden. *America on Wheels,
    The First 100 Years: 1896-1996*. General Publishing Group, 1996.
Flammang, James M. *Cars*. Enslow, 2001
Schaefer. Lola M., *Henry Ford.* Pebble Books, 2000.

Páginas Web recomendadas

•www.umd.umich.edu/fairlane/   •www.hfmgv.org   •www.pbs.org/wgbh/aso

Acerca de la autora

Ann Gaines es autora de muchos libros de divulgación para niños. También ha trabajado como investigadora en el Programa de Civilización Americana de la Universidad de Texas.